MME CATASTROPHE
reine du bricolage

MONSIEUR **MADAME**

MONSIEUR **MADAME**

MME CATASTROPHE
reine du bricolage

Roger Hargreaves

hachette
JEUNESSE

Avec un nom comme Catastrophe, tu dois te douter que madame Catastrophe était une vraie catastrophe, n'est-ce pas ?

Plus que personne d'autre, elle voulait rendre service aux gens. Hélas ! Elle ne leur attirait que des ennuis.

Pas plus tard que la semaine dernière, alors qu'elle était assise dans le bus, elle surprit une conversation entre monsieur Lent et monsieur Heureux.

C'était une conversation très lente.
– Je… voudrais… une… maison… bien… verte… mais… je… n'ai… jamais… le… temps… de… faire… quoi… que… ce… soit, expliquait monsieur Lent à monsieur Heureux.

Il était déjà temps pour madame Catastrophe
de descendre du bus.
Mais elle en avait suffisamment entendu !

Elle se rendit aussitôt chez monsieur Bric-à-Brac
et acheta tout son stock de peinture verte.

Je suis sûr que tu devines ce qu'elle avait en tête.
Oui ! Elle voulait faire une surprise à monsieur Lent
en repeignant sa maison en vert.

Madame Catastrophe se mit donc au travail.
Elle peignit tous les murs…

Et toutes les portes…

Elle peignit aussi la cheminée et le toit…

Elle peignit même les fenêtres et les vitres !

Quand elle eut terminé de peindre la maison,
il lui restait encore un peu de peinture.

Alors, elle décida de peindre le garage…
à l’intérieur et à l’extérieur !

Quand elle eut terminé, madame Catastrophe recula pour admirer son travail… que dis-je : son œuvre !

C'est à ce moment que monsieur Lent arriva.
Il avait tout juste eu le temps d'acheter du pain pendant que madame Catastrophe repeignait entièrement sa maison. Il ne s'appelait pas monsieur Lent pour rien !

Monsieur Lent dut se frotter les yeux avant de réaliser qu'il était bien chez lui.

– Qu'avez-vous… fait ? demanda-t-il d'un air inquiet.

– Je vous ai entendu dire que vous vouliez une maison bien verte, répondit madame Catastrophe.

Alors, *tadam* : la voici !

– Ce… n'est… pas… ce… que… je… voulais… dire. Je… voulais… une… maison… bien… verte, expliqua monsieur Lent.
– Tout à fait, dit madame Catastrophe. Elle ne peut pas être plus verte !
– Non, je… voulais… parler… d'une… maison… avec… un… beau… jardin… bien… vert,… avec… des… fleurs,… des… fruits… et… des… légumes… verts ! tenta d'expliquer lentement monsieur Lent.
– Oh… répondit madame Catastrophe.

… Mais alors, quelle couleur souhaitiez-vous pour votre maison ?

Monsieur Lent poussa un long… et lent soupir.
Il se dit que l'après-midi allait être très, très long en compagnie de madame Catastrophe.
Même pour lui, monsieur Lent !

RÉUNIS VITE LA COLLECTION ENTIÈRE

1 MME AUTORITAIRE
2 MME TÊTE-EN-L'AIR
3 MME RANGE-TOUT
4 MME CATASTROPHE
5 MME ACROBATE
6 MME MAGIE
7 MME PROPRETTE
8 MME INDÉCISE

9 MME PETITE
10 MME TOUT-VA-BIEN
11 MME TINTAMARRE
12 MME TIMIDE
13 MME BOUTE-EN-TRAIN
14 MME CANAILLE
15 MME BEAUTÉ
16 MME SAGE

17 MME DOUBLE
18 MME JE-SAIS-TOUT
19 MME CHANCE
20 MME PRUDENTE
21 MME BOULOT
22 MME GÉNIALE
23 MME OUI
24 MME POURQUO

25 MME COQUETTE
26 MME CONTRAIRE
27 MME TÊTUE
28 MME EN RETARD
29 MME BAVARDE
30 MME FOLLETTE
31 MME BONHEUR
32 MME VEDETTE

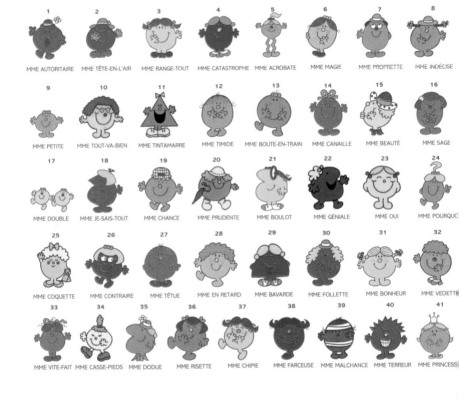

33 MME VITE-FAIT
34 MME CASSE-PIEDS
35 MME DODUE
36 MME RISETTE
37 MME CHIPIE
38 MME FARCEUSE
39 MME MALCHANCE
40 MME TERREUR
41 MME PRINCESS

DES **MONSIEUR MADAME**

1	2	3	4	5	6	7	8	9	10
.TOUILLE	M. RAPIDE	M. FARCEUR	M. GLOUTON	M. RIGOLO	M. COSTAUD	M. GROGNON	M. CURIEUX	M. NIGAUD	M. RÊVE

11	12	13	14	15	16	17	18	19	20
GARREUR	M. INQUIET	M. NON	M. HEUREUX	M. INCROYABLE	M. À L'ENVERS	M. PARFAIT	M. MÉLI-MÉLO	M. BRUIT	M. SILENCE

21	22	23	24	25	26	27	28	29	30
AVARE	M. SALE	M. PRESSÉ	M. TATILLON	M. MAIGRE	M. MALIN	M. MALPOLI	M. ENDORMI	M. GRINCHEUX	M. PEUREUX

31	32	33	34	35	36	37	38	39	40
'ONNANT	M. FARFELU	M. MALCHANCE	M. LENT	M. NEIGE	M. BIZARRE	M. MALADROIT	M. JOYEUX	M. ÉTOURDI	M. PETIT

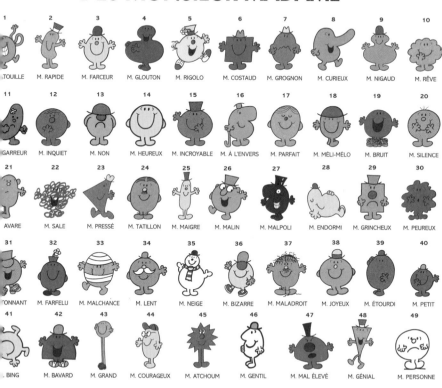

41	42	43	44	45	46	47	48	49
. BING	M. BAVARD	M. GRAND	M. COURAGEUX	M. ATCHOUM	M. GENTIL	M. MAL ÉLEVÉ	M. GÉNIAL	M. PERSONNE

Édité par Hachette Livre – 43, quai de grenelle, 75905 Paris Cedex 15
ISBN : 978-2-01-227179-1
Dépôt légal : juillet 2012
Loi n°49-956 du 16 juillet 1949 sur les publications destinées la jeunesse.
Imprimé par IME (Baume-les-Dames), en France.